D0494906

OPENBARE BIBLIOTHEEK
INDISCHE BUURT
Soerabajastraat 4
1095 GP AMSTERDAM
Tel. 668 15 65

afgeschreven

Reine De Pelseneer

Kraai moet vliegen

Met prenten van Claudia Verhelst

OPENBARE BIBLIOTHEEK
INDISCHE BUURT
Soerabajastraat 4
1095 GP AMSTERDAM
Tel. 668 15 65

UITGEVERIJ
DE EENHOORN

Voor eerste lezers.
Te lezen na 9 maanden leesonderwijs.
AVI 3

© Tekst: Reine De Pelseneer
© Illustraties en omslagtekening: Claudia Verhelst
Druk: Oranje, Sint-Baafs-Vijve

© 2007 Uitgeverij De Eenhoorn bvba, Vlasstraat 17, B-8710 Wielsbeke
D/2007/6048/41
NUR 287
ISBN 978-90-5838-443-0

NEDERLANDSE
KINDERJURY
2008

Niets uit deze uitgave mag worden verveelvoudigd
en/of openbaar gemaakt door middel van druk, fotokopie,
microfilm of op welke andere wijze ook, zonder voorafgaande,
schriftelijke toestemming van de uitgever.

www.eenhoorn.be

Aan de rand van het bos
staat een boom.
Hoog in die boom woont
Kraai.
Kraai houdt van zijn boom
en hij houdt van zijn nest.
Het is er veilig en warm.
Het is er zacht en groot en
mooi en knus!
Een beter nest bestaat er
niet, vindt Kraai.
Het nest is helemaal goed!

kraaiennest,
een klein platform
als uitkijkpost...

Zijn hals is 2 tot 3 m lang.

3

vliegende vissen

kraaien,
zwarte raafachtige
vogels

Kraai is groot én hij is slim.
Zijn vleugels zijn stevig en sterk.
Tóch heeft Kraai een probleem:
hij kan niet vliegen!
Hij fladdert en fladdert en fladdert,
maar hij stijgt niet op.

mos

4

Gelukkig woont mama ook in het nest.
Mama vliegt heel goed
en mama zorgt voor Kraai.

Ze brengt hem een worm of een ei,
een appel of een dikke vlieg.
Gulzig slokt Kraai alles op.
Mama houdt van Kraai,
maar soms is ze een beetje boos.
Dan zucht ze diep:
'Je moet ooit vliegen, Kraai!
Want op een dag ben ik weg en dan brengt
niemand jou een appel, een worm of een ei!'

Ik hoef niet te vliegen, denkt Kraai,
vliegen is dom!
Van vliegen word je moe.
In mijn nest is het goed.
Een hoop dingen kan ik trouwens wél goed.
Niemand praat zo mooi als ik.
En niemand zingt zo veel als ik.
Een beetje vals, zo nu en dan,
maar daar hou ik wel van.
'Nee! Nee! Nee!' roept Kraai.
'Aan vliegen doe ík niet mee!'

Onder de boom, in een hol onder de
grond, woont Mol.
Mol is de beste vriend van Kraai.
Soms komt Mol even boven de grond.
Dan leunt hij tegen de boom
en luistert hij naar Kraai.
Mol ziet niet zo goed
en hij zegt niet zo veel.
Maar dat is niet erg,
want Kraai kijkt voor twee
en Kraai praat ook voor twee.

molshoop

boterbloem

mol

11

kruin, top van een boom

eekhoorn

Vandaag zit Mol onder de boom.
Kraai kijkt om zich heen en vertelt:
'De lucht zit vol licht.
Het bos is groen als gras.
In de verte zie ik een veld.
Daar groeit geel graan.
En als ik heel goed kijk,
zie ik een dorp.
Met meer dan dertig huizen.'
De taal van Kraai klinkt voor Mol als muziek.
Door het verhaal van Kraai
is het net alsof Mol ook heel ver kijkt.

Op een dag regent het in het bos.
Eerst een druppel
en dan nóg een druppel
en nog één en nog één en...
De druppels blijven vallen.
Bah, denkt Kraai, regen is niet leuk.
Hij verstopt zich in zijn nest.

toeter

kraai

kraai

Kra

Kra

kraai Kra

Het regent een hele dag.
Een hele week.
Een hele maand!

Mol komt uit de grond.
Hij roept zo hard als hij kan.
Kraai loert over de rand van zijn nest.
'Kraai,' zegt Mol, 'ik ga weg.
Mijn hol is helemaal nat.
Ik zoek een beter bos!'

modder

Kraai slikt.
'Blijf toch hier!' wil hij roepen,
maar Mol is al weg.
Hij komt vast weer terug, denkt Kraai.
Ja, ja, hij komt terug.
Kraai maakt zich geen zorgen.

De regen houdt niet op.
De lucht is grijs en zwaar.
En Mol komt niet terug.
'Wacht maar tot de regen stopt,'
troost mama, 'dan komt Mol weer hier.'
De regen stopt
maar Mol blijft weg.

mol

Mama zorgt heel goed voor Kraai,
maar Kraai wil geen appel of vlieg,
geen worm en geen ei.

Kraai wil zijn vriend weer zien!
Hij voelt zich alleen.
Praten is niet leuk
als niemand luistert.
Stil krast Kraai een droevig lied.

Een lied over een verre vriend.
Zó ver dat je zelfs hoog in de boom
niet kan zien waar hij is.

ik moet Vliegen!

20

Na een maand is Kraai het wachten beu.
'Mama,' zegt hij luid, 'ik móét vliegen!
Ik ga op zoek naar Mol.'
Daar kijkt Mama van op:
'Als je er klaar voor bent,
dan kan je het ook!'
Kraai kijkt verbaasd.
Hij wipt naar de rand van het nest.
Brrr, denkt hij, wat is dit hoog!
Hij sluit zijn ogen
en spreekt zichzelf moed in:
'Ik wil vliegen! Ik wil vliegen!
Ik kan vliegen!'
Hij fladdert heftig met zijn vleugels.
Opeens voelt Kraai het nest niet meer!

kraaiennest

start

(1) 2, 3

22

Hij opent zijn ogen
en ja hoor: hij hangt in de lucht!
Kraai fladdert nu nog meer.
'Ik vlieg!' roept hij.
Hij gilt, hij lacht, hij schreeuwt.
'Ik vlíég!'

IK VLIEG

IK VLIEG

IK VLIEG

24

IK VLIEG

Eerst vliegt Kraai maar een klein stukje.
Gewoon tot aan de volgende boom.
Dan vliegt hij een rondje.
En na een poos maakt hij zelfs een salto!
Kraai is door het dolle heen.

Mama krast blij.
'Nu ga ik weg,' zegt Kraai.
'Ik ga op zoek naar Mol.'
Mama geeft Kraai een kus
en zegt dat hij voorzichtig moet zijn.

Kraai vertrekt in volle vaart.
Zijn buik kriebelt ervan.
Steeds hoger en sneller zoeft Kraai.
Hij raakt de toppen van de bomen.
'Wow, wat is vliegen leuk!' lacht Kraai.

Er is lucht zover hij kan zien.
Beneden in het bos lopen dieren:
Konijn huppelt rond,
Eekhoorn kraakt een noot
en Hert drinkt uit een plas.
Kraai kruist een rivier,
scheert over een dorp
en belandt weer boven een bos.
Intussen spiedt hij naar de grond.
Opeens maakt het hart van Kraai een sprong.

Bij een beek zit Mol!
Kraai suist naar beneden.
'Mol!' roept hij.
'Kraai!' roept Mol. 'Je vlíégt!'
Trots schudt Kraai zijn veren.
Mol lacht: 'Ik ben zo blij dat je er bent!'
De vrienden zitten samen op het mos.
Kraai vertelt over zijn reis.
Over de rivier en over het dorp,
over Eekhoorn en Konijn,
over Hert bij de plas.
Kraai praat luid en mooi.
Het hele bos gonst ervan.

Egel kijkt op.
Muis spitst de oren.
Wezel wil alles weten
en Das komt dichterbij.
Elk dier is stil.
Elk dier luistert naar Kraai.
Mol geniet en zucht:
'Kraai, jij maakt de wereld zo mooi!'

mos

EINDE